什麼意思？

　　SDGs之所以會被制定出來，目的是為了讓全世界所有人同心協力一起解決存在於這個世界上的各式各樣問題，像是維護自然環境、消滅歧視跟暴力……。

　　但也因為這個世界太大了，所以小朋友們很容易覺得這些問題很困難，產生「小孩子幫不上什麼忙」的想法，不過，想改變這個世界，其實還是有許多我們可以參與的行動。

　　首先就先從家中、社區和學校，我們每天的生活環境當中來找出「提示」，進一步發現「我們能參與的行動」吧。

　　接著，你可以試著針對其中任何一項付諸「行動」，積極的去嘗試自己能辦得到的事吧！

生活中隨手就能達成的目標！

SDGs
就在你身邊

③
學校實踐篇

監修 關 正雄
編撰 WILL兒童智育研究所
翻譯 李佳霖
審訂 何昕家 臺中科技大學通識教育中心副教授

察覺身邊的提示

SDGs 是為了解決全球性的問題所立定的目標，目的是要讓所有人在未來能擁有比現在更好的生活。

而要解決 SDGs 目標中的問題，第一步就是從察覺身邊的提示開始做起喔！

咦，花枯掉了？

感覺不對勁的現象

去思考平常習以為常的事物是不是「有哪裡不對勁」，或是去關注和平常不一樣的事物。

澆的水可能不夠！

這就是提示

去思考不對勁現象背後的原因，是連結到 SDGs 的關鍵，如此一來，大家就會去思考「得想辦法加以解決」。

本書重點

書中會給出各式各樣的提示，並介紹相關的行動範例。

以下這個例子是我們在日常生活情境中所可能發現到的提示。

課堂上的
提示

有不懂的地方也不問人。

只要看這裡就會比較容易發現

提示藏在哪些地方喔！

付諸行動🌍！

藉由提示去找到自己所辦得到的事，並且付諸行動。

> 幫花澆水！

> 這就是行動

每一個人所採取的行動都能為 SDGs 盡到一份心力，協助問題的解決喔！

你可以試著藉由這一套書來練習如何發現身邊的提示以及如何付諸行動！

以下這個例子是藉由提示所激發出的行動。

課堂上的
行動

4 優質教育

主動向人請教自己不懂的地方！

這裡會列出跟這項行動相關的SDGs目標。

每個人能察覺到的提示跟辦得到的事各不相同。就讓我們從自己辦得到的事情開始下手吧！

生活中隨手就能達成的目標！

SDGs 就在你身邊

3 學校實踐篇

　　不管是在家裡、社區或是學校，在每天的日常生活中，我們都能為 SDGs 盡一份心力。

　　在第三冊中將會介紹課堂上、營養午餐時間和下課時，各種我們可以在學校裡實踐的 SDGs。

　　讓我們試著跟朋友和班上同學一起共同參與吧！

▼ 問題可獲得解決的 SDGs 目標

專　欄

老師的工作很辛苦嗎？

▼ 問題可獲得解決的 SDGs 目標

專　欄

無法上學的小孩子

▼ 問題可獲得解決的 SDGs 目標

3 良好健康和福祉

11 永續城市與社區

15 陸域生命

16 和平正義與有力的制度

專欄

學校裡也有太陽能發電！

7 可負擔的潔淨能源等

▼ 問題可獲得解決的 SDGs 目標

2 消除飢餓

4 優質教育

8 尊嚴就業與經濟發展

13 氣候行動

專欄

多元料理的菜色讓我們認識海中世界的豐富

14 水下生命

▼ 問題可獲得解決的 SDGs 目標

4 優質教育

10 減少不平等

17 夥伴關係

專欄

取得安全用水並不容易！

6 乾淨水與衛生

▼ 問題可獲得解決的 SDGs 目標

3 良好健康和福祉

11 永續城市與社區

16 和平正義與有力的制度

專欄

「貧窮」離我們不遠

1 消除貧窮

課堂時間

在課堂上其實有許多可以實踐 SDGs 的行為。 看看圖中給的提示， 一起想想可以採取什麼行動。 你我的一個小行動， 是改變世界的第一步！

主動向人請教自己不懂的地方！

學習這件事不只是讀書寫字而已，當你產生疑問時，尋找答案的過程就是學習。所以面對自己不懂的事情時，不要視而不見，可以請老師給我們提示，然後試著自己去找答案。

找答案的過程或許不太容易，但經歷這樣的過程，將會成為你相當珍貴的資產。

SDGs 的目標 4（優質教育），其實也是為了讓小朋友們成為很棒的大人而被設下的目標喔。

主動發言！

課堂上如果有機會發表自己的感想或是看法的話，最好可以積極發言！用簡單易懂的方式向同學們說明自己的看法，以及去理解大家對於自己的發言有什麼樣的看法，是相當重要的一件事。

我！

課堂上的
行動

3 良好健康和福祉

隨時注意自己的坐姿！

打直
拳頭
平放
輕放

　身體姿勢正確跟腦袋的運轉有著深厚的關聯，要維持良好的坐姿，記住「拳頭、平放、打直、輕放」這四個關鍵。書桌跟身體之間要保持一個拳頭的距離，兩腳平放在地板上，背部打直，沒握筆的手輕放在書桌上。

　注意坐姿，維持腦袋清晰，這樣的舉動，有助於實踐 SDGs 的目標 3（良好健康和福祉）。

沒法寫了

課堂上的
行動

12 負責任的消費與生產

將文具用到無法使用為止！

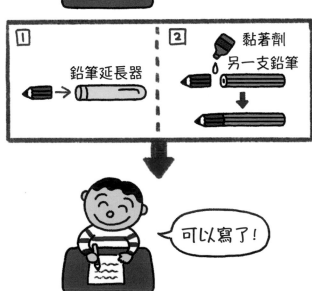

鉛筆延長器

黏著劑
另一支鉛筆

可以寫了！

　要實踐 SDGs 中的目標 12（負責任的消費與生產），其中的一項關鍵就是要珍惜資源。把還能使用的東西丟掉、改買新的，會造成資源的浪費。

　例如，當鉛筆變得很短時，先別立刻丟掉，將變短的鉛筆加上延長器，或是把它跟新的鉛筆接起來，就能將鉛筆用到不能再用為止。一起試著想想還有什麼樣的巧思能用在我們經常使用的物品上！

課堂上的
行動

17 夥伴關係

同學之間彼此互相請教學習！

想要解決問題的訣竅就是，要讓身邊的人知道自己碰上了什麼問題，如此一來，大家就能一起針對問題，提出意見討論並思考解決的方法。

因此，和同學彼此間建立起可以輕鬆商量事情的關係，分享自己所具備的知識，或是聽取對方的建議，是有助於解決困難的問題的喔。只要有互助的精神，就能讓我們與 SDGs 中的目標 17（夥伴關係）的實踐更加靠近。

只要點一下這裡就好了！

原來如此～

你好厲害！

拒絕時要將理由說清楚！

在碰到同學要我們幫忙時，有時我們會有自己的理由而想要拒絕。這時，要向對方清楚的說明自己的想法，否則被拒絕的人心裡也會覺得很不是滋味。

手帕借我！

對不起！我不想跟別人共用自己的手帕

更進一步的SDGs行動！

8 尊嚴就業與經濟發展

老師的工作很辛苦嗎？

老師有很多除了上課以外的「工作」

很多學校老師的工作時間過長，他們除了上課以外，還必須帶領社團活動、參加教師會議，或跟家長面談等，工作非常多，然而卻也有不少人認為「這是理所當然的」。

其實不僅是老師，有許多人因為工作時間太長而導致身體出問題。我們應該怎麼做才能讓所有人以合適自己的步調工作，並且在工作上取得成就感呢？

改變老師工作型態的方法

拜託其他人帶領社團活動
借助老師以外的人力幫忙，可以降低老師的工作負擔，比方說可以請當地的專業人士來擔任社團活動的教練。

借助其他教師的力量
在臺灣，代課教師及特殊教育教師助理員能協助老師授課。學校及相關單位也能提供教師所需協助。

我們還能做更多！

● 試著去問問身邊的大人，調查他們每天工作幾個小時，一年可以休息幾天。

下課時間

下課時間的
提示

男生跟女生分成
兩國。

下課時間的
提示

下課時間完全不
活動身體。

在下課時間，其實有許多可以實踐 SDGs 的行為。看看圖中給的提示，一起想想可以採取什麼行動。你我的一個小行動，是改變世界的第一步！

下課時間的
提示
固定只跟同一群朋友玩。

下課時間的
提示
看到別人有困難卻不伸出援手。

下課時間的
提示
不愛護遊具等遊樂器材。

　　小朋友，你們在玩耍時，是不是常常在不知不覺中會分成「都只有男生」跟「都只有女生」的小團體呢？ SDGs 的目標 5（性別平等）這項目標所要宣導的重點是，有沒有在行為上表現出「男子氣概」或「女孩子的嬌柔」並不重要，而是每個人是否擁有「自己的特色」。

　　所以你要不要也試著不透過性別去判斷，而是去挖掘「每個人的特色」呢？如此一來，不僅能發現許多朋友身上的優點，同時身旁的人說不定也會看到你身上的優點。

奈央
傳給我！！

我才是不會
輸給你呢！

我可是不會
輸給你的！

弘人我來
支援你

超棒的！

講好使用規則！

如果不同群的人要使用相同的場地玩遊戲的話，最好彼此討論出一套使用規則。當輪到另一組人使用的時間時，就要把場地讓出來，以防不公平的現象產生。

前十分鐘
給我們玩

那後十分鐘
給我們喔！

下課時間的
行動

3 良好健康和福祉

多少要活動一下身體！

　　每個人都有自己度過下課時間的方式，可以跟同學聊天，也可以自己靜靜的想事情。

　　不過如果長時間維持相同姿勢，不但會加深身體的疲勞，而且頭腦也會變得遲鈍，所以我們可以試著盡情活動手腳，藉由伸展讓身體放鬆。雖然這樣的舉動微不足道，但卻是能連結 SDGs 的目標 3（良好健康和福祉）的行動。

我們一起玩吧！

嗯！

下課時間的
行動

16 和平正義與有力的制度

主動搭話，結交新朋友！

　　SDGs 的目標 16（和平正義與有力的制度）之所以被制定出來，目的在於希望達成沒有紛爭的社會，而這樣的目標除了大人以外，也跟小孩子們大有關係。

　　我們每天去的學校也是社會的一部分，而為了讓朋友之間的爭吵或霸凌消失，大家應該彼此互相主動交流，並且多為他人著想。擴展朋友圈將有助於實踐和平的社會。

留意身旁的人事物！

謝謝你！

這是你掉的東西

在學校裡有各式各樣的同學，當中可能有人有著身體上的障礙，或是有人內心充滿煩惱，而當我們看到朋友有困難時，可以主動詢問，看看有沒有自己能幫上忙的地方。

人活在世界上就免不了要互相幫助，平常不要只想到自己，試著多去留意身旁的人事物，並且向有困難的人伸出援手，這麼做將有助於達成 SDGs 的 目標 17（夥伴關係）。

珍惜學校的設備！

學校也是社會中不可或缺的一項基礎設施*，它不僅僅是小孩子們學習的場所，更是鄰里社區在發生災難時的避難場所，或是選舉時的投票所。

因此不要把學校中的建築物、遊樂器材、球類等物品只看作是專屬於孩子的東西，而是應該視為屬於周邊鄰里所有居民的基礎設施，多加珍惜。這樣的用心將有助於實踐 SDGs 的 目標 9（產業創新與基礎設施）。

*「基礎設施」指的是道路、電力等，我們生活中所需的最基本的設施與建設。

4 優質教育

無法上學的小孩子

每12個小孩當中就有一個人無法上小學

在這個世界上，每12個小孩當中，就有1個人無法接受教育。有的因為家裡附近沒有學校，有的是因為家裡貧窮的關係。

人若是無法接受適當的教育，那麼將來在人生的路上會碰上數不清的問題。我們該怎麼做才能讓所有小孩子都能接受教育呢？

沒有接受教育會發生什麼事？

無法閱讀、書寫
沒有接受教育就無法得知生活所需的資訊，或是發生選舉時無法投票的問題。

不懂得計算
沒有接受教育在買賣東西時有可能會吃虧，或者是錢財遭到他人騙取。

無法選擇工作
沒有接受教育就無法選擇自己想要從事的工作，或是無法有穩定收入的職業。

NO！

我們還能做更多！
● 有團體發起童鞋及畢業後將書包捐贈到國外，送給無法上學的小朋友。試著去查查看還有沒有其他同樣能支援國外小朋友的活動。

參考資料來源：聯合國兒童基金、舊鞋救命step30

課後時間

課後時間的 **提示**
打掃時偷懶。

課後時間的 **提示**
對植物跟生物視而不見。

課後時間其實有許多可以實踐 SDGs 的行為。 看看圖中給的提示， 一起想想可以採取什麼行動。 你我的一個小行動， 是改變世界的第一步！

**主動打掃，維持
環境整潔！**

你知道嗎？ 打掃和身體健康密不可分喔！ 例如， 灰塵當中充滿了許多會讓人生病的細菌或是引發過敏的塵蟎， 在我們吃完營養午餐後， 如果不清乾淨在桌上的殘渣， 有害身體的病菌就會不斷增生。

所以經常透過打掃來清理掉灰塵是非常重要的！ 學校是我們每天長時間的生活環境， 透過主動打掃來維持教室清潔， 將有助於實踐 SDGs 的目標 3 （ 良好健康和福祉）。

維持空氣流通也很重要

有害身體的病菌不僅存在於灰塵與飯菜的殘渣中， 同時還會漂浮在空氣中。 像是教室這種有許多人聚集的環境特別容易孳生病菌， 所以在打掃時間以外也要盡量把窗戶打開， 讓新鮮的空氣可以流通到教室內。

課後時間的
行動
15 陸域生命

照顧學校的植物與動物！

學校裡頭通常種植了許多植物，有些學校還有飼養著動物。如果你對於觀察植物或接觸生物感興趣的話，要不要試著去接下照顧學校動植物的責任呢？

世界上所有生命都是非常寶貴的，照顧「有生命的東西」，不僅能讓我們體會到自然界的豐富，同時也能萌生出愛護自然的責任感。

思考自己跟自然之間的關係，就能讓我們跟 SDGs 的目標 15（陸域生命）的實踐更加靠近。

課後時間的
行動
11 永續城市與社區

遵守規矩和禮儀！

學校裡頭有著許多規矩，像是有些教室會規定要換穿室內鞋，或是不能在走廊上奔跑等，這些規定為的是要讓大家都覺得校內環境十分舒服。

只要每個人都願意遵守規矩跟禮儀，校內的氣氛就會變得融洽，同時也能影響學校周邊的居民間或城鎮。讓我們一起試著從學校開始踏出達成 SDGs 的目標 11（永續城市與社區）的第一步吧！

課後時間的
行動

16 和平正義與
有力的制度

找老師或大人商
量問題！

　　如果你看到其他小朋友看起來有心事時，最好盡早向老師報告。要是感覺這個問題是老師們無法協助解決的話，你也可以跟家人商量。

　　最不可取的行為就是對於這樣的事情視而不見，只要每個人都能鼓起勇氣，就能讓我們進一步實踐 SDGs 的目標 16（和平正義與有力的制度）。

也可以找輔導老師談！

在你有心事但卻不知道跟誰說時，可以去找學校的輔導老師喔。輔導老師是傾聽心事的專家，也會幫我們守密，所以可以放心的跟輔導老師商量。

有任何心事都
可以跟我說喔

更進一步的SDGs行動！

7 可負擔的潔淨能源

學校裡也有太陽能發電！

在我們身邊的再生能源

太陽能發電跟水力發電這些再生能源因為不會傷害地球，所以成了因應氣候變遷的對策，相當受到矚目。當中尤其以太陽能發電是臺灣使用量最高的再生能源，近年來有許多家庭或是大樓也都有安裝太陽能板。

學校也開始引進太陽能發電，在屋頂上安裝太陽能板，將太陽能發電用於學校所需的電力上。

在學校與社區都相當普及的太陽能發電

切身感受環境問題

如果能近距離觀察到太陽能板的外觀，或是確認發電量，將有助於學習太陽能發電背後的運作原理。

碰上災害時不用擔心

太陽能發電系統中有一種名為「蓄電池」的裝置，它可以用來儲存能源，一旦碰上停電時，就能進行自家發電。

蓄電池　避難

供給城鎮能源

學校在進入長假期間，可以將能源輸送至其他設施機構。

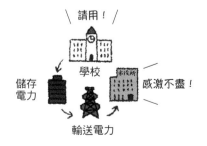

請用！
儲存電力　學校　感激不盡！
輸送電力

我們還能做更多！

● 近年臺北市政府積極發展再生能源和活化掩埋場土地利用，陸續打造福德坑復育公園，以及規劃南港山水生態公園，期待成為北臺灣的再生能源示範園區。

營養午餐時間

營養午餐時間其實有許多可以實踐 SDGs 的機會。看看圖中給的提示，一起想想可以採取什麼行動。你我的一個小行動，是改變世界的第一步！

午餐時間的
提示

打太多菜，超過
自己能吃得下的
分量。

午餐時間的
提示

隨意跟朋友交換
菜色。

午餐時間的
行動
13 氣候行動

關心營養午餐中
所使用的食材！

匆匆忙忙吃完營養午餐是一件很可惜的事！因為營養午餐提供了我們認識各種食物的機會。

想一想營養午餐的食材來自什麼地方？營養午餐使用的多半是當地的食材，因為在運輸時不用消耗那麼多能源，所以能減低車輛運輸時所排放出的二氧化碳。換句話說，就是能降低排放導致溫室效應的氣體，因此將有助於達成 SDGs 的 目標 13（ 氣候行動 ）。如果在吃營養午餐時能夠想到這些事，說不定吃起來會更加美味！

本日菜單

- 白飯
- 豆腐海帶芽味噌湯
- 鹽烤鮭魚
- 芝麻沙拉醬拌花椰菜
- 牛奶
- 橘子

這是在我們當地海域採收的喔！

專業人員

午餐時間的
行動
8 尊嚴就業與經濟發展

想想是誰在幫我
們煮營養午餐！

為了讓所有小朋友能順利度過校園生活，學校裡頭存在著各式各樣不同職業。除了教我們上課的老師以外，還有烹煮及運送營養午餐的工作人員、保健室的護士、圖書館員以及教務人員等。

去關心這些支持我們校園生活的職業，將有助於實踐 SDGs 的 目標 8（ 尊嚴就業與經濟發展 ）。去調查看看從事這些不同職業可以感受到哪些不同的工作成就，或是也可以直接去請教他們。

把自己餐盒中的菜吃光光！

營養午餐的菜單在擬定時，會將營養的均衡納入考量，所以在吃營養午餐時要是少了一道菜，或是多了一道菜，就會導致營養失衡，也因此大家最好將自己午餐吃光。

另外，我們也可以去思考一下自己的身體是透過哪些養分來支撐的，這樣一來，營養午餐時間也可以是跟 SDGs 中的目標 4（優質教育）息息相關的「學習時間」喔。

不容易生病

協助身體代謝

提供能量

製造肌肉

身體熱量來源

常見菜色存在的理由

牛奶是日本營養午餐中最常見的菜色，而牛奶之所以會經常出現在營養午餐當中，是因為它含有大量發育期的小朋友所需的鈣質。除了牛奶以外，還有哪些菜色經常出現在營養午餐中呢？可以試著去想一想，並探索背後的理由！

很棒很棒！

營養午餐的
行動
2 消除飢餓

打菜時只添自己吃得下的量！

給我半碗飯就好

現在全世界每10人中就有1個人受到飢餓所苦，但同時，還能食用卻被丟棄的食物，光是在臺灣每年就高達 220 萬噸。

小朋友們首先可以做到的事就是珍惜食物。吃營養午餐時不能抱有「吃剩了就算了」的想法，而是在打菜時只添自己吃得完的分量。

只要能將剩菜剩飯量降低，就有可能讓真正需要食物的人獲得這些多出來的食物，並且也能讓我們踏出實踐 SDGs 的 目標 2（消除飢餓）的第一步！

參考資料來源：聯合國《世界糧食安全和營養狀況（2022年）》、環保署

重新挑戰不敢吃的食物！

你有沒有不敢吃或是怎麼樣都不吃的食物呢？有時候在營養午餐時間因為看到朋友在吃，所以自己也嘗試看看，結果就變得敢吃的情況並不少見。其他還有不少克服方法，像是在這項食材盛產的季節嘗試吃吃看，或是了解食材的營養價值，說不定原本不敢吃的東西，有可能會變成自己愛吃的東西喔！

大家都敢吃……

咦？好吃耶！

多元料理的菜色讓我們認識海中世界的豐富

仰賴海洋的飲食文化

營養午餐中有時會出現烤魚、炸魚，或是用昆布高湯煮出來的味噌湯，因此可以享用到各式各樣的魚貝類。

但是海中的魚類正在逐漸減少，其中一項原因，是因為幼魚以及肚子中帶有魚卵的母魚被過度捕撈的關係。不管是捕魚還是吃魚，最重要的都是要小心別破壞平衡。

守護豐富的海洋環境

減少塑膠垃圾
要盡量減少塑膠垃圾，塑膠一旦流入海中，就會分解成細小的微粒，持續存在於海洋中。

多吃各種不同的魚
如果總是只吃同一種魚，會導致只有這種魚的數量減少，破壞海洋的平衡。

推廣養殖漁業
養殖漁業指的是在海中放養魚類並且加以管理，這樣將有助於防止魚類的過度捕撈。

我們還能做更多！
● 查查看臺灣人一年總共會吃下多少魚。
● 捕魚的方式相當多，試著去查查看平常自己所吃的魚採用的是什麼樣的捕魚方法。

SDGs 透過提示激發行動！

小組報告時

小組報告時其實有許多可以實踐 SDGs 的行為。看看圖一起想想可以採取怎麼樣的行動，改變世界！

準備時要跟大家商量！

團體小組報告中，在決定題目、負責報告的人選，或是分配工作時，應該要跟其他組員好好商量。在分配工作時，如果能挑選自己擅長的事來做，就能進行得非常順利。

全組同心協力朝著相同的目標前進時，如果大家都能發揮自己的專長，就能產生出個人無法達成、只有團體才能發揮出的力量，這樣的經驗想必有助於 SDGs 中的目標 17（夥伴關係）的實踐。

我來挑照片！

我來負責畫插圖！

誰要負責設計？

嘗試用多元形式來呈現報告！

報告的呈現形式相當多元，如果你擅長排版的話，可以用報紙的方式呈現；擅長使用平板電腦的話，可以做成投影片。其他的呈現形式還包括連環畫劇（紙芝居）或是小冊子等，務必跟同組的組員討論後再決定呈現的形式！

報紙

連環畫劇（紙芝居）

小冊子

投影片

小組報告的
行動
10 減少不平等

用心傾聽他人的意見！

在準備小組報告時，雖然傳達自己的意見非常重要，但同樣的，傾聽他人的意見也很重要。即使對方提出跟自己完全相反的意見，我們還是要尊重對方，並且互相討論該怎麼做才好。

我們應該尊重想法跟自己不同的人，並且分工合作，只要不斷重複這樣的行為，就能讓我們與 SDGs 的 目標 10（減少不平等）的實踐更加靠近。

我想用猜謎的方式來報告！

贊成！
我的理由是——

這點子不錯耶

原來如此！

● 可以炒熱班上氣氛！

● 思考出題內容很好玩。

● 可以用平板電腦的編輯功能添加音效。

● 平板電腦的畫面可以快速切換，大家不容易感到無趣。

我認為○○○。
理由是———

發表自己的意見

在表達自己的意見時，可以試著大聲說出來，同時也說明為什麼自己會有這樣的想法，這樣就能讓身旁的人更容易理解。朋友之間說話時也要有禮貌，講話時如果能客氣又不搶快，會是很棒的一件事。

小組報告的
行動
4 優質教育

閱讀圖書館的書籍或圖鑑！

在查找資料時使用平板或是電腦非常方便，但只依靠網路資料的話，有時可能會導致資訊內容不夠公正，因此，建議大家可以利用學校的圖書館來查找資料。

圖書館裡頭有書本、圖鑑、字典、報紙等各式各樣的紙本文獻，其中圖鑑的圖片充滿氣勢、報紙的資訊最即時、字典的內容正確性高，了解不同紙本資料的特色，會更順利找到自己所需的內容。

圖書館是幫助大家學習的地方，如果能善用圖書館的話，將有助於達成 SDGs 的 目標 4（優質教育）。

版面好清楚！

找找看有沒有到更深入的資料！

好有趣喔

有這樣的書耶

也可以向大人請教！

查找資料時，除了利用網路或是書籍以外，也可以直接問人喔。比方說去訪問身旁的大人也很有趣，想讓他們順利回答我們的問題，應該用什麼樣的方式去問會比較好？試著去思考看看！

老師小時候吃的是怎麼樣的麵包？

這個嘛～

更進一步
的SDGs
行動！

6 乾淨水與衛生

取得安全用水並不容易！

有「自來水」可用不是理所當然的一件事

　　水對人類的生活很重要，根據統計，在臺灣平均每個人一天洗澡、上廁所等所消耗的水量高達 288 公升。

　　只要扭開水龍頭，就會有乾淨的水可供使用，但世界上卻有8.4億人必須到距離自家步行30分鐘以上的地方取水，或是只能使用遭到汙染的水。為了能讓大家的生活獲得提升，整頓水利基礎設施是非常重要的。

剝奪小孩子權利的「取水」

　　在一些國家及偏遠地區，大家必須到遙遠的地方取水才有水可用，而「取水」這種辛苦的勞動，使得小孩子無法去上學，也因為得搬運的水實在太重，有時也會導致小孩無法健康發育，換句話說，取水這件事會剝奪小孩子的各種權利。

參考資料來源：臺灣經濟部
水利署、國際NGO水援助組
織聯盟〈紅色名錄〉

**我們還能
做更多！**

● 日本醫生中村哲*長年在阿富汗活動，協助挖井、建造農業灌溉水路，對於當地的水利基礎設施有相當大的貢獻，試著去調查看看中村醫生做過哪些事吧。

*1964年出生於日本福岡縣，因在阿富汗的貢獻卓越，獲頒為當地的榮譽市民，不過卻在2019年因為遭受槍擊而過世。

上下學路上

在我們上下學的路上其實有許多可以實踐SDGs的行為。看看圖中給的提示，一起想想可以怎麼樣改變世界！

上下學時的
提示
走路時只顧著講話。

上下學時的
提示
陌生人搭話時，都會回應。

微笑車站

上下學時的
提示
不曾察覺上下學時，路上所發生的變化。

上下學時，你是否曾經因為只顧著跟朋友講話，而忽略了身旁的交通狀況呢？許多導致小孩子受傷的交通事故，都是發生在上下學的路上。

馬路如虎口，當我們在路上行走時，一定要注意是否有汽車靠近，或是自己是否會要撞上別人。自己的安全必須自己顧，而保護自己身體的行為，將有助於實踐SDGs的 目標 3 （ 良好健康和福祉 ）。

不要太靠近車子！

車子就算沒有發動也很危險，所以切記不要太靠近車子喔，因為車上的駕駛是看不見身高比較矮的小朋友的。即便是附近有小孩子在，車子還是很有可能會突然發動。

上下學時的
行動
11 永續城市與社區

慎選每日上下學的路線！

我們平常覺得安全的上下學路線，在碰上路旁的牆面損壞或是施工時，危險度就有可能增高，有時加上天氣變化，甚至可能形成相當危險的狀態。

當感到有危險時，可以選擇不同於平常的上、下學路線，不過，當你決定更換路線時，務必要跟家人和老師報告，這樣子就算暫時變換路線也沒關係。重新檢視平時上下學的路線，就是思考社區的安全，這樣的行為將有助於達成SDGs的目標11（永續城市與社區）。

走這邊可能有點危險！

便利商店

愛心導護商店

重新檢視上下學路線

建議小朋友們可以跟家人時不時重新評估一下平常上下學的路線是否危險，同時也要確認當自己感到有危險時，可以求助的「愛心導護商店」位在哪些地方。

上下學時的
行動

16 和平正義與
有力的制度

求助時不要猶豫！

嗶！

SDGs 的<mark>目標 16 （ 和平正義與有力的制度</mark>）對於孩子來說是非常切身的問題， 因為以小孩為對象的暴力犯罪行為在世界各地都層出不窮。 陌生人會假借「 我迷路了」 或是「 你媽媽發生車禍」 這樣的謊話欺騙小孩， 並加以誘拐， 這樣的事件也是相當常見。

所以當有不認識的人要跟自己搭話時， 不用理他沒有關係。 在你感到有一絲絲的危險時， 不要猶豫， 馬上按下防身警報器， 就算是可能是自己誤會了也沒關係。

你媽媽受傷了！
來搭阿姨的車子！！

不要在路上四處閒逛！

我們在上下學時， 應該要直接的往家裡或是學校前進， 因為在路上四處閒逛的話會提高危險性， 務必要避免這樣的行動。 有些大人是會躲在大家注意不到的地方， 等待小孩子靠近後伸出魔掌。

1 消除貧窮

「貧窮」離我們不遠

「貧窮」*的比例愈來愈高？

* 這種在特定國家或地區中低於一般生活水準的貧窮狀態被稱作是「相對貧窮」

在臺灣，低收入戶人口至 2022 年占總人口1.25%，相當於貧窮率不到 1.3%，遠低社經條件類似的日、韓等國。但根據家扶基金會統計，截至 2022 年止，約有 11.73% 孩子正面臨貧窮世襲的窘境。逐漸擴大的貧富差距，以及高齡化社會，都正在預警著即將迎來的貧窮海嘯！

貧窮一直在我們身邊發生，我們應該把它視為可能發生在所有人身上的事，並且去思考可以如何解決問題。

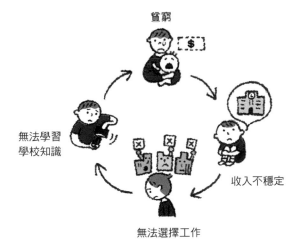

貧窮

無法學習學校知識

收入不穩定

無法選擇工作

要擺脫貧窮並不容易

貧窮是一種惡性循環，比方說因為家裡沒錢而無法上學的話，就無法學習到學校的知識；當必要的知識不足時，就無法找到薪水穩定的工作，在這種收入不高的情況下建立家庭，小孩子未來也可能會陷入貧窮。

陷入貧窮的人是很難憑藉自己的力量來打破這樣的循環，所以需要身旁的人或政府協助。

我們還能做更多！

● 為了幫助陷入貧窮的人，在日本有一種名為「生活保護」的社會制度喔，試著去調查看看臺灣有沒有這種支援的制度或是活動吧！

參考資料來源：日本厚生勞動省〈2019年國民生活基礎調查〉

作者簡介

關 正雄 監修

　　空中大學客座教授、社會設計研究所客座教授、損害保險日本興亞營運公司的推動永續部門資深顧問。畢業於東京大學法學院，致力於社會責任相關的國際標準制定，以及促成永續發展的教育啟發。自身除了鼓吹經濟團體投入參與SDGs以外，同時也力求提升一般民眾、中央政府以及地方政府等對於SDGs概念的理解，在推動整體社會的參與方面也不遺餘力。主要的著作有《SDGs經營時代所需的社會企業責任》（第一法規出版）、《SDGs時代的合夥關係》（學文社出版）等。

編撰者簡介

WILL兒童智育研究所

　　專營幼兒、兒童的智育教材、書籍的策畫開發及編撰。自2002年開始參與阿富汗難民的教育支援活動，並於2011年日本311大地震後持續支援受災幼稚園。

　　主要的編撰作品有《垃圾上哪去了垃圾處理與利用》系列書籍（金星社出版）、《充分利用文具》系列書籍、《在科學及數學驗證中發現傳說故事的真相》系列書籍（福祿貝爾館出版）等。

（❀❀知識繪本館）

生活中隨手就能達成的目標！

SDGs就在你身邊③ 學校實踐篇

監修｜關 正雄　編撰｜WILL兒童智育研究所　譯者｜李佳霖
審訂｜何昕家（臺中科技大學通識教育中心副教授）
責任編輯｜詹嬿馨　特約編輯｜高凌華
美術設計｜李潔　行銷企劃｜王予農

天下雜誌群創辦人｜殷允芃
董事長兼執行長｜何琦瑜
媒體暨產品事業群
總經理｜游玉雪　副總經理｜林彥傑
總編輯｜林欣靜
版權主任｜何晨瑋、黃微真

出版者｜親子天下股份有限公司
地址｜台北市104建國北路一段96號4樓
電話｜（02）2509-2800　傳真｜（02）2509-2462
網址｜www.parenting.com.tw
讀者服務專線｜（02）2662-0332　週一～週五：09:00~17:30
傳真｜（02）2662-6048　客服信箱｜bill@cw.com.tw
法律顧問｜台英國際商務法律事務所・羅明通律師
製版印刷｜中原造像股份有限公司
總經銷｜大和圖書有限公司　電話：（02）8990-2588

出版日期｜2024年2月第一版第一次印行
定價｜360元　書號｜BKKKC259P
ISBN｜978-626-305-664-0（精裝）

訂購服務
親子天下Shopping｜shopping.parenting.com.tw
海外・大量訂購｜parenting@service.cw.com.tw
書香花園｜台北市建國北路二段6巷11號　電話（02）2506-1635
劃撥帳號｜50331356　親子天下股份有限公司

國家圖書館出版品預行編目資料

生活中隨手就能達成的目標！SDGs就在你身邊③學校實踐篇/關 正雄監修；李佳霖譯. -- 第一版. -- 臺北市：親子天下股份有限公司, 2024.02, 40面；21×25.7公分. --（知識繪本館）
ISBN 978-626-305-664-0（精裝）
1.CST: 永續發展 2.CST: 環境保護 3.CST: 環境教育
445.99　　　　　　　　　　112020899

MIJIKA DE TORIKUMU SDGs 3 GAKKOU DE DEKIRU SDGs
Supervised by SEKI Masao
Compiled by WILL Child Education Institute
Designed by Yoshi-des.(YOSHIMURA Ryou, ISHII Shiho)
Illustrated by CHO-CHAN SAITO Azumi
Edited by WILL(NISHINO Izumi, KATAOKA Hiroko)
Copyright© Froebel-kan 2022
First Published in Japan in 2022 by Froebel-kan Co., Ltd.
Complex Chinese language rights arranged with Froebel-kan Co., Ltd., Tokyo, through Future View Technology Ltd.
All rights reserved.

立即購買 >

生活中隨手就能達成的目標！

SDGs
就在你身邊 系列

監修
關 正雄

編輯
WILL
兒童智育研究所

1 家庭實踐篇

2 社區實踐篇

3 學校實踐篇

察覺
提示

>>>

付諸
行動

SDGs 的

消除貧窮

終結全世界的貧窮問題。

消除飢餓

讓受到飢餓所苦的人獲得糧食，並改善他們的營養狀況。

良好健康和福祉

所有年齡層的人都能過上健康且幸福的生活。

可負擔的潔淨能源

全世界所有人都能使用環保能源。

尊嚴就業與經濟發展

所有人都能從事具有成就感的工作，藉此推動經濟成長。

產業創新與基礎設施

在全界建設穩固的基礎設施，促進產業發展。

氣候行動

防止地球氣溫上升，消除氣溫上升所帶來的負面影響。

水下生命

保育海洋生態，讓海洋資源能夠存續。

陸域生命

保育陸域生態，讓豐富的大自然恢復生命力。